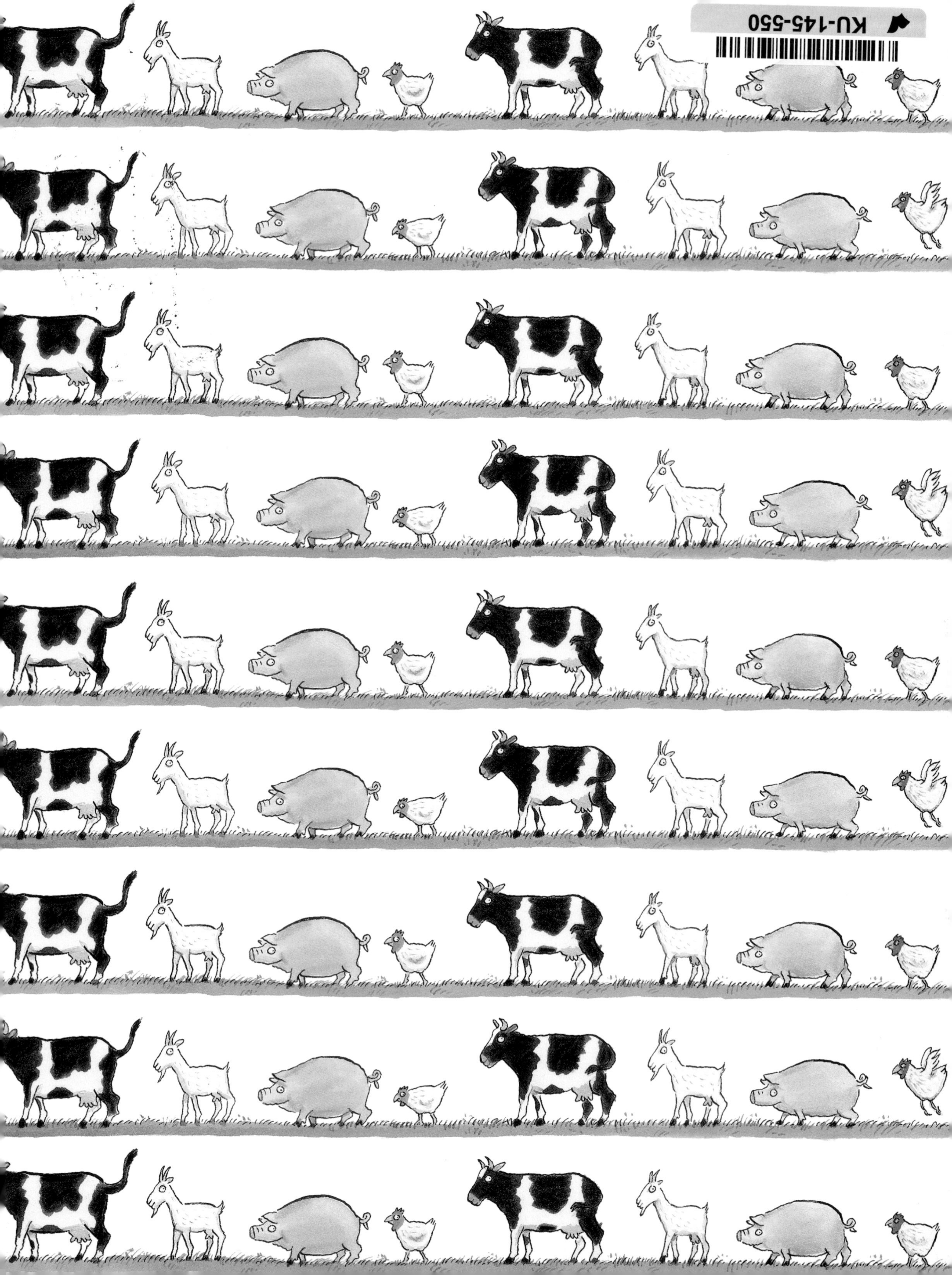

I gcuimhne ar ár gcéad eagarthóir, Elke Lacey
agus dá mac, Fred.

Foilsithe den chéad uair i 1993 ag Methuen Children's Books.
An bunleagan Béarla den eagrán seo foilsithe i 2018 ag Macmillan Children's Books,
imprionta de chuid Pan Macmilllan, rannóg de chuid Macmillan Publishers International Limited.

An leagan Gaeilge foilsithe den chéad uair i 2018 ag Futa Fata, An Spidéal

Futa Fata,
An Spidéal,
Co. na Gaillimhe,
Éire.
www.futafata.ie

ISBN: 978-1-910945-37-7

Julia Donaldson
A SCRÍOBH

Axel Scheffler
A MHAISIGH

Mo Theachín gan Chuma gan Chaoi

Tadhg Mac Dhonnagáin
A RINNE AN LEAGAN GAEILGE

Bhí bean ina cónaí i dteachín beag tráth
I dteachín beag bídeach le seomra amháin.

Ar sise le seanfhear a tháinig an tslí
"Féach ar mo theachín, gan chuma gan chaoi!
É beag agus bídeach, gan scóip ann ná spás
A sheanfhir, nach trua mo chás!"

Bhí plean ag an seanfhear – “Seo leat amach!

Beir leat an chearc sin isteach i do theach!”

Bhuel, rug an chearc ubh i lár an urláir,

Is leag sí an crúiscín – an crúiscín ab fhearr!

"Anois!" arsa an tseanbhean, "is measa mo chás!

Mo chrúiscín deas briste ar fud an urláir,

Mo chircín go dána i gceartlár an tí,
Is mo theachín gan chuma gan chaoi!

Fóir orm a sheanfhir
Nó brisfidh mo chroí
Tá mo theachín gan chuma gan chaoi!"

Bhí plean ag an seanfhear – "Seo leat amach!

Beir leat an gabhar sin isteach i do theach!"

Leag an gabhar planda, bhris sé an ubh,

Réab sé is d’ith sé, go beo is go tiubh.

"Anois!" arsa an tseanbhean "nach cráite mo chroí,
Le cearc agus gabhar is a chuid dreancaidí
Gan chrúiscín ná cuirtín, gan suaimhneas ná scíth
Tá mo theachín gan chuma gan chaoi!

Fóir orm a sheanfhir
Nó brisfidh mo chroí
Tá mo theachín gan chuma gan chaoi!"

Bhí plean ag an seanfhear – “Seo leat amach!

Beir leat an mhuc sin isteach i do theach!”

Muc ins an teachín, a leithéid de chrá!

Scanraigh sí an chearc agus d'ith sí a sáith.

Mil
Siúcra

"Féach ar mo theachín!" a bhéic an tseanbhean.
"Nach mé bhí díchéillí a ghlac le do phlean!
Níl áit ann le seasamh, ná áit ann le suí
I mo theachín gan chuma gan chaoi!

Fóir orm a sheanfhir
Nó brisfidh mo chroí
Tá mo theachín gan chuma gan chaoi!"

Bhí plean ag an seanfhear – “Seo leat amach!

Beir leat an bhó sin isteach i do theach!”

A leithéid de chlampar ní fhaca tú riamh
Bó ar an mbord, í ag damhsa 's ag spraoi!

"Anois!" arsa an tseanbhean, "mo chrá is mo chreach!
Bó agus muc agus gabhar i mo theach
Circín go dána sa leaba 'na suí
Is mo theachín gan chuma gan chaoi!

Fóir orm a sheanfhir
Nó brisfidh mo chroí
Tá mo theachín gan chuma gan chaoi!"

“Amach leo ar fad,” arsa an seanfhear. “Amach!”
“‘Amach leo’ a deir tú? Amach as mo theach?”

D'oscail sí fuinneog. "A chircín beag, slán!
Anois níl mo theachín beag baileach chomh lán!"

"A mhuic is a ghabhairín – amach libh go beo!
Anois níl mo theachín chomh beag sin níos mó!

Bhrúigh sí is sháigh sí. "A bhó – gabh amach!
Anois féach an spás is an scóip i mo theach!"

"Mo bhuíochas a sheanfhir, mo bhuíochas go deo!
Mo theachín bhí bídeach, anois tá breá mór.
Tá neart spáis dom féin ann, ní gá tabhairt amach
Is mé atá sásta i mo theach!"

Ó tá sí chomh sásta le banríon na sí
Ag damhsa 's ag fidil-dí-dí.

Ó tá sí fíorsHásta i gceartlár an tí
Mar níl sé gan chuma gan chaoi!

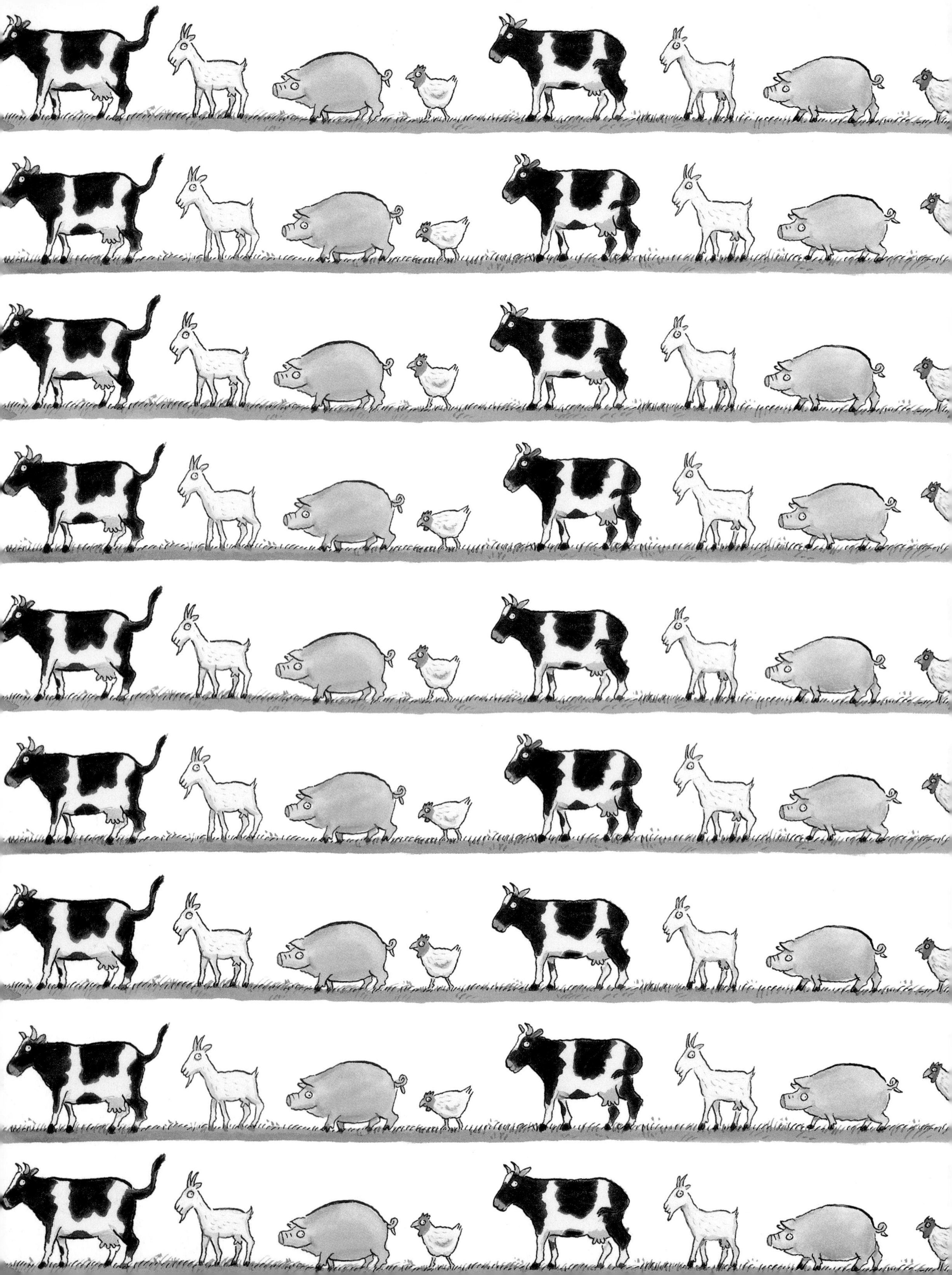

Subh
Siúcra